W9-DAX-967
JUL 2016

Nous remercions la SODEC
et le Conseil des Arts du Canada
de l'aide accordée à notre programme de publication
ainsi que le gouvernement du Québec
– Programme de crédit d'impôt
pour l'édition de livres
– Gestion SODEC.

SODEC Québec

Conseil des arts du Canada   Canada Council for the Arts

Canada

Nous reconnaissons l'aide financière
du gouvernement du Canada
par l'entremise du Fonds du livre du Canada
pour nos activités d'édition.

Illustrations : France Cormier

Montage de la couverture : Grafikar

Conception de la maquette : Grafikar

Montage des pages intérieures : Guylaine Normand pour
Claude Bergeron

Membre de l'Association nationale des éditeurs de livres

ASSOCIATION NATIONALE DES ÉDITEURS DE LIVRES

Financé par le gouvernement du Canada
Funded by the government of Canada
Canada

Dépôt légal : 1er trimestre 2016
Bibliothèque et Archives Canada
Bibliothèque nationale du Québec
234567890 IML 09876

ISBN : 978-2-89633-344-8
11666

C'est à moi que tu parles?

DU MÊME AUTEUR
AUX ÉDITIONS PIERRE TISSEYRE

Collection Safari

Svetlana, après Tchernobyl, album de docu-fiction.

Collection Sésame

Rocket junior, roman.
Villeneuve contre Villeneuve, roman.
Du sapin à la moutarde, roman.
L'ara qui rit, roman.

Collection Papillon

Au clair du soleil, roman.
Fripouille, roman. Sélection Communication-Jeunesse.
La grosse tomate qui louche, roman. Lauréat Prix des enseignants AQPF-ANEL.
Félix déboule et redouble, roman.
Urgence, roman. Sélection Communication-Jeunesse.

Collection Papillon+

Le Che est plus sexy que Fidel, roman. Sélection Communication-Jeunesse.

Catalogage avant publication de Bibliothèque et Archives nationales du Québec et Bibliothèque et Archives Canada

Roy, Pierre, 1959-

C'est à moi que tu parles ?

(Collection Sésame ; 147)

Pour les jeunes de 6 ans et plus.

ISBN 978-2-89633-344-8

I. Cormier, France, 1973- . II. Titre.
III. Collection : Collection Sésame ; 147.
PS8585.O922C47 2016jC843'.54C2015-942543-3
PS9585.O922C47 2016

Pierre Roy

C'est à moi que tu parles?

Roman fantaisiste

155, rue Maurice
Rosemère (Québec) J7A 2S8
Téléphone: 514-335-0777 – Télécopieur: 514-335-6723
Courriel: info@edtisseyre.ca

À mon amie Melanita.

Si tu tiens ce livre dans
tes mains assez longtemps
pour qu'il se réchauffe,
il te ronronnera une histoire.

1

NE DIS RIEN...

En me mettant au lit, je me suis souvenu qu'à l'école, c'était jour d'inscription pour une activité libre, mardi. Je ne sais pas si je devrais choisir le karaté, l'aquarelle, le patinage ou la guitare. En y réfléchissant, j'ai fermé les yeux, malgré moi.

Toute la nuit, j'ai dormi d'un sommeil si lourd que j'ai dû le pelleter pour en sortir.

— Debout, Alexandre. Je suis fatigué de sonner!

D'où vient cette voix?

— Reste un peu sous mes couvertures, bien au chaud.

Et cette autre?

— Vite, tu vas être en retard!

À travers mon oreiller, j'entends:

— Grouille, tu gaspilles ta journée de congé!

— Justement, il pourrait en profiter pour se reposer quelques minutes de plus.

Je rêve, la nuit ne doit pas être terminée. Ce n'était que le son de mon radio-réveil, que j'ai pris pour des voix. À tâtons, j'appuie sur n'importe quel bouton pour le fermer. Puisqu'on est dimanche, je remets mes yeux sous leurs confortables paupières.

— Dépêche ! insiste le réveille-matin.

Marcel, mon chat, ouvre un œil brillant. Puis, il le referme en étirant ses quatre pattes de tout leur long.

Bon, je décide de me lever, à moitié endormi. J'enfile mes vêtements, qui commencent à maugréer :

— J'aimerais bien me chauffer au soleil, parfois. L'obscurité devient dure pour le moral, à la longue.

— Arrête de te plaindre, chaussette, marmonnent le t-shirt et le pantalon.

— On voit bien que vous ne passez pas votre vie dans de vieux souliers. J'étouffe, moi !

C'est vrai, au fond, qu'elles ne voient pas souvent le jour. Je décide de leur laisser un peu de répit, allongées par terre, et mes pantoufles me dirigent vers la cuisine. Comme chaque matin, j'ouvre la porte du réfrigérateur.

— BOUH ! fait-il en allumant sa lumière.

Je recule de trois pas, le laissant tout grand ouvert.

— Enfin, ce n'est pas trop tôt ! rechigne-t-il. D'habitude, on me réveille à sept heures. Je te signale que tu as soixante-neuf minutes de retard. Il ne faudrait pas que cette situation se reproduise trop souvent, compris ? J'aime bien la routine, moi.

Le frigo parle, il me fait même la leçon ! Mais a-t-il dit qu'il aimait la « routine » ou la « poutine » ?

Peu importe, je le referme tout de suite.

— Au secours ! glousse-t-il d'une voix caverneuse.

Hésitant, je tire la poignée de nouveau et j'attrape en vitesse le contenant de lait, qui me lance un :

— Meuuuuuuurci.

Vraiment bizarre. J'ignorais que nos oreilles pouvaient avoir des visions. Il faut dire qu'en rêve, tout est possible. Du moins, j'imagine.

Les céréales, qui n'arrêtent pas de jacasser, m'expliquent :

— Il y a longtemps que tu nous entends et tu ne t'es pourtant jamais posé de questions.

C'est vrai qu'elles crépitent chaque matin. Chaque matin que je mange des céréales, bien sûr. Je réalise alors que je les entendais sans vraiment les écouter.

— Maintenant, poursuivent-elles, nous avons besoin de faire connaître nos opinions. Tout comme nos autres amis objets, qui eux aussi veulent partager leurs émotions, leurs sentiments.

Les céréales ressentent des émotions ? Elles éprouvent de la joie, de la tristesse ou de la colère ? Elles auraient des goûts, des préférences ? En tout cas, j'espère qu'elles aiment l'humidité, car moi, je les baigne toujours dans le lait.

Ouf ! Tout un début de journée ! Certains matins, on a de la difficulté à se débarrasser de ses rêves… même une fois debout.

2

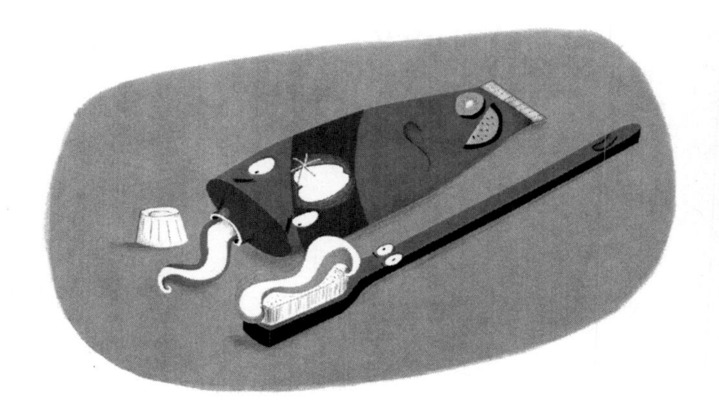

La routine matinale

Mon petit-déjeuner avalé, je me brosse les dents.

— Inutile d'en mettre trop, dit le tube de pâte dentifrice.

C'est vrai que j'ai tendance à exagérer. J'adore son goût de melon-kiwi.

— Je vois du tartre derrière la prémolaire, remarque la brosse à dents. Frotte encore un peu, s'il te plaît, je ne veux pas que tu aies de caries. Sinon, je vais me faire accuser de bâcler mon travail.

Soit je ne suis pas encore réveillé et que la nuit se poursuit, soit mon tube et ma brosse parlent vraiment. Aussi bien jouer le jeu. De toute manière, on dirait que ce n'est pas moi qui tiens le gros bout du bâton.

— Juste à côté de la molaire, derrière, précise une langue qui ne m'est pas étrangère.

Je ne prends pas de risque: je recommence l'opération nettoyage au complet, avec plus d'application.

— Un coup de peigne ne te ferait pas de tort, suggère le miroir.

Je n'avais pas encore vu l'épouvantail, juste devant moi.

Une bonne douche réglera le problème. Je tourne les robinets pour me laisser inonder de chaleur. En moussant, le shampoing se met à conjuguer :

— Je le sais, tu le sais, il le sait, nous le savons ! C'est une blague : nous le *savons* ! Une blague de shampoing, la comprends-tu ?

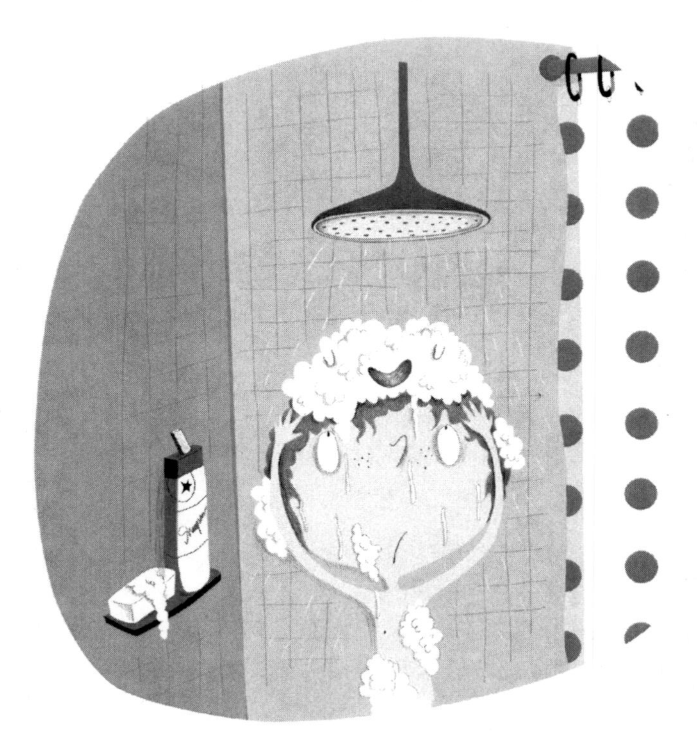

Assez ordinaire, l'humour de salle de bain. Ordinaire, mais propre. Je me sèche et je me coiffe en vitesse pour faire disparaître l'épouvantail.

Aujourd'hui, il ne faut pas que j'oublie de décider à quelle activité parascolaire je vais m'inscrire. Je songe aux quatre qui m'intéressent. Je n'ai pas vraiment de talent dans aucune. En fait, je ne sais même pas si j'ai du talent pour quoi que ce soit. En y pensant bien, je ferais peut-être mieux de laisser tomber l'aquarelle, même si c'est très joli. Je suis assez pourri avec un pinceau ou un crayon. Je n'arrive même pas à tracer une ligne droite. Si je dessine un chien, il ressemble autant à un crocodile qu'à une autruche. Mais j'ai encore le temps d'y réfléchir, d'ici mardi. En attendant, je vais rejoindre mon père dans l'atelier. Il m'a promis de m'aider à terminer notre cabane à oiseaux. On l'a commencée ensemble il y a plus de six mois. Une chance qu'on ne bâtit pas une maison, ou une cathédrale!

En passant la porte, je respire l'odeur sucrée du bois. Tout est calme et pourtant, je sens comme de l'électricité dans l'air. Une énergie invisible voyage à travers la pièce. Il me semble aussi percevoir de légers murmures. Je suis incapable d'en identifier la provenance, jusqu'à ce que j'empoigne le marteau, qui hurle:

— Vas-y, frappe!

Je sursaute et le laisse tomber par terre.

— Ouille! rouspète-t-il. Tu ne pourrais pas y aller un peu plus doucement?

— Pitié, j'ai si mal à la tête, gémit le clou. Une migraine atroce m'attend si tu l'utilises, celui qui a les oreilles plus longues que la tête.

Il parle du marteau, ce clou?

— Je ne veux pas qu'on me transperce, larmoie la planche. Je suis bonne comme du bon pin.

A-t-elle dit du bon « pain », cuisiné avec de la farine, ou du bon « pin », la sorte de bois?

— Je pourrais exécuter le même travail sans brutalité, propose le tournevis d'une petite voix.

L'égoïne rugit de plaisir dès que je la touche.

— On va manger du bon pin frais.

Du pin ou du pain, à la fin?

— Que se passe-t-il, Alexandre ? On dirait que tu as vu un fantôme, tu es tout blême.

Bouche bée, je tourne la tête vers papa, avant de demander :

— Tu n'as rien entendu ?

— À part la radio et le ventilateur, rien de bien effrayant.

— Le marteau, le clou, la scie... ils parlaient !

— Tu n'aurais pas dû regarder ce film d'animation, hier soir, s'inquiète mon père. Maintenant, tu confonds le réel et l'imaginaire.

— Ce n'est pas à cause du film. Je suis certain d'avoir entendu les outils.

Papa prend le ruban à mesurer, silencieux.

— Elle est bonne, celle-là. Des outils qui jasent, on aura tout vu. Ou plutôt tout entendu. Pourquoi

pas une vache qui danse la claquette, tant qu'à y être?

— Je t'assure que c'est vrai!

Mon père vient se placer droit devant moi, l'air très sérieux.

— Qu'est-ce qu'il t'a confié, le marteau? Pas des secrets assommants, j'espère? rigole-t-il.

J'ai peut-être intérêt à ne pas trop insister. D'ailleurs, je n'entends plus rien.

— On a besoin de peinture, viens-tu à la quincaillerie avec moi?

— D'accord, papa. On va acheter de la rouge!

— Crois-tu qu'elle va nous raconter une histoire, ta peinture rouge? Une histoire d'horreur, dégoulinante de sang?

3

UNE AUTO CRITIQUE

Pour aller à la quincaillerie, on prend la voiture. On roule environ un kilomètre, puis une voix s'exclame :

— Pas fameuse, cette essence ! J'avalerais bien un peu de super de temps à autre. J'ai un pneu qui se dégonfle, aussi. N'oubliez pas mes yeux, s'il vous plaît. Je me sens mieux lorsqu'ils sont allumés. Je ne rajeunis pas, vous savez, ma vue baisse. Tiens, je perçois de drôles de bruits, dans mon ventre. Un problème de transmission, je crois. Nous allons loin ?

— Voilà, on est arrivés.

Mon père répond à notre auto ? Je le regarde, il me regarde, puis il dit :

— On devrait acheter de la jaune.

— De la jaune ? De quoi tu parles ?

— De la peinture jaune s'harmoniserait à merveille avec la rouge, selon moi.

Le jaune me fait penser à la ceinture jaune, en karaté. Il faut dire que l'école d'arts martiaux se trouve juste en face du magasin. Du karaté, je rêve d'en faire depuis longtemps, mais je ne sais pas si je serais assez bon. Je ne suis pas très fort, et pas vraiment musclé. De plus, je serais sûrement le seul débutant à faire croire qu'il porte une ceinture transparente! On pourrait même ajouter des bretelles, pour plus d'effet.

— Quelque chose te tracasse, Alexandre?

— Tu as déjà fait du karaté, hein, papa?

— Bien sûr, mais j'ai dû arrêter à la ceinture marron à cause d'une blessure. Je songeais justement à m'y remettre, pourquoi?

— Si je m'inscrivais aux cours d'arts martiaux, tu pourrais me filer un coup de main?

— Avec plaisir, Alex!

Je suis soulagé. Au moins, si j'apprends quelques trucs avant les cours, je ne passerai pas pour la pire des nouilles. Voilà, c'est réglé.

— Dis, papa, notre projet de cabane à oiseaux, d'après toi, il sera terminé pour l'été ?

— Pourquoi pas ? On a presque fini !

C'est à peine si on a commencé, mais je préfère ne pas le contredire.

Dans le magasin, on ramasse ce dont on a besoin, puis mon père passe à la caisse. Aucun bruit suspect.

Sur le chemin du retour, alors qu'on est arrêtés à un feu rouge, j'entends renifler :

— Tu ne le laisseras pas me vendre, Alexandre ? Promets-moi

que nous serons toujours ensemble!

J'aperçois, juste à côté, un marchand de voitures d'occasion. L'auto continue:

— On se connaît si bien, depuis toutes ces années. Jamais je ne pourrais m'habituer à une autre famille.

Mon père diminue le volume de la radio pour me dire:

— Si on allait l'essayer, cette décapotable noire dans la première rangée? Regarde, elle est en solde.

— Ne m'abandonnez pas! pleurniche notre pauvre bagnole d'un ton désespéré.

— Tu n'aimerais pas faire tes premiers pas de pilote automobile dans ce magnifique cabriolet? Viens, allons nous informer.

Il tente de me convaincre avec des arguments qui semblent surtout s'adresser à lui.

— Papa, j'ai neuf ans. Ce n'est pas demain que je vais passer mon permis de conduire, tu sais.

Il m'observe, comme s'il venait tout à coup de réaliser quel âge j'avais.

— Tu as raison. Dommage, on va devoir garder ce vieux tacot encore un peu. En espérant que la transmission tienne le coup…

Je glisse la main sur le tableau de bord, en douceur.

Arrivés à la maison, mon père coupe le moteur et on descend. En passant devant l'auto, j'aperçois une petite flaque, sous le pare-chocs.

Des larmes ?

Chat-pitre 4

Quand on entre dans la cuisine, vers midi, le ronronnement du frigo nous accueille. Je l'ouvre, et j'entends aussitôt le beurre, le fromage et le yaourt beugler en chœur. La côtelette d'agneau bêle quelques notes pour les accompagner.

J'ai l'impression que je suis en train de perdre la boule. Tout placote, sans arrêt !

— Veux-tu laver les légumes ? me demande papa.

Carottes et brocolis ne bronchent pas. Les chaudrons, par contre, trépignent d'impatience :

— On a faim ! On a faim ! On a faim !

L'élément chauffant de la cuisinière rougit de plaisir, en ricanant :

— Hi, hi, hi !

Je jette un coup d'œil vers mon père, que rien ne semble perturber. On mange en silence. Seuls les ustensiles grognent avec appétit :

— Menoum, menoum...

Après le repas, je me rends aux toilettes.

— Haut les mains ! s'écrie le trône de porcelaine lorsque je m'assois.

Haut les mains!

J'ai bondi si haut que j'ai failli toucher le plafond !

— C'était une blague, lance la cuvette.

Ah oui ! L'humour de salle de bain... je n'y pensais plus.

— Je la fais souvent, cette plaisanterie, mais personne ne la comprend. D'ailleurs, personne ne m'écoute jamais.

— Je ne vois pas ce que des toilettes pourraient avoir de passionnant à raconter.

— Détrompe-toi, Alexandre. Je suis au courant de pas mal de choses, tu sauras. J'en connais, des secrets. Ici, les gens se croient seuls, alors je reçois souvent des confidences. Ils viennent s'asseoir pour réfléchir, pour trouver des solutions à leurs problèmes. Je les aide du mieux que je peux. D'ailleurs, je sais que tu as une grande décision à prendre dans les prochains jours. Moi, je dis : écoute ton cœur. Tu peux aussi écouter tes intestins, mais je ne garantis pas les résultats.

— Euh, merci du conseil.

Je commence à croire que les objets se sont toujours exprimés, mais que je ne les entendais pas. Pourtant, si c'était le cas, ils parleraient aussi à mon père, non ?

Dans le salon, j'allume le téléviseur.

— Un petit époussetage serait de mise, souffle l'écran. Je ne te vois pas très bien, derrière toute cette saleté. C'est bien toi, Alexandre ?

— Tu voudrais laisser la place au chat ? me suggère le fauteuil. Il est beaucoup plus doux et moins lourd que toi. Prends le tabouret qui s'ennuie, toujours tout seul dans son coin.

C'est vrai qu'on ne l'utilise jamais, ce tabouret, sauf pour y grimper. De toute sa vie, ce malchanceux n'a senti que des pieds.

Je m'assois dessus. J'espère qu'il préfère les fesses aux pieds. Il me semble que c'est le genre de question qu'on ne se pose pas vraiment, d'habitude.

— Marnowww, miaule notre minou en descendant l'escalier.

Marcel vient de sortir de mon lit. Je lui demande :

— Qu'as-tu à raconter, monsieur le chat ?

— Mrouaaa ? fait-il en s'étirant.

— Oui, toi.

— Miaou.

— Il doit bien y avoir quelque chose qui n'est pas à ton goût?

Il saute sur mon épaule.

— Rrrrrrien.

— Comprends-tu ce qui se passe ici, toi?

— Brrrroui.

Je le regarde se lécher la patte, ce qui me fait penser au lavage qui m'attend. Comme on n'est que deux dans la maison depuis le départ de maman, il y a beaucoup de tâches à se partager: l'aspirateur, la cuisine, le lavage... En réalité, je ne fais pas tout le lavage. Je m'occupe plutôt du séchage et du pliage. C'est ma mère qui m'avait montré comment on doit s'y prendre, et je réussis le plus souvent à la perfection. Mais j'aimerais quand même qu'elle soit près de moi, pour y mettre sa touche magique.

5

LES ÉLECTROMESSAGERS

La machine à laver vient de déclarer la grève. Le sèche-linge l'appuie:

— On est fatigués de virer en rond. Et personne ne nous

remercie jamais! C'est décidé, on fait la grève!

Tourner en rond, comme en patinage de vitesse. Voilà un indice, un signe pour m'aider à choisir à quelle activité m'inscrire. Sauf que je ne cours pas très vite, je ne suis pas en super forme. Le patinage artistique serait peut-être plus facile pour moi. Mmmm, pas certain. Il faut dire que ce sport m'a toujours fasciné. Lorsque je le regarde à la télé, je suis comme hypnotisé, incapable de décrocher mon regard de l'écran. Pour le pratiquer, toutefois, il me faudrait de nouveaux patins. Ce que mon arrière-grand-mère appelle des « patins de fantaisie ».

Le sèche-linge me ramène sur terre, à mes préoccupations

immédiates, c'est-à-dire le lavage.

— Mon aïeule, corde à linge, se prélassait dans le soleil et dans le vent toute la journée, solide et fière.

— Autrefois, enchaîne la laveuse, les gens caressaient la planche à laver pendant des heures. Ils savonnaient, rinçaient et essoraient eux-mêmes. Aujourd'hui, je dois tout faire, et à une vitesse folle ! Je n'ai jamais de répit, je suis épuisée. Alors, j'ai décidé de prendre une pause d'une durée indéterminée.

Oups, j'avais oublié la grève.

— Prends ton temps, tictaque l'horloge grand-père. Il n'y a rien qui presse. Chaque heure compte soixante minutes et chacune d'entre elles t'apportera tout ce que tu veux.

— Tu peux parler, bizarre d'armoire à pendule qu'on doit remonter toutes les semaines. Les antiquités comme toi ne servent plus à rien, de nos jours.

— Je carillonne depuis cent cinquante ans et je n'ai jamais passé une demi-heure, tu sauras.

J'ignorais que notre horloge était si âgée! Elle poursuit sur sa lancée:

— J'étais là, avec tes aïeux. Laisse-moi te dire qu'en tant que machine, tu es beaucoup plus appréciée que la vieille planche à laver. À force de frotter, les gens s'éreintaient et s'écorchaient les doigts. Et l'hiver, poursuit la sécheuse, la fameuse corde à linge rendait les vêtements tout raides. Les pantalons tenaient debout lorsqu'ils se retrouvaient à l'intérieur, complètement gelés.

Un peu plus et ils marchaient tout seuls.

Le poêle à bois, que je croyais endormi, vient s'immiscer dans la conversation :

— Je m'en souviens, c'est moi qui les tiédissais. À l'époque, j'étais seul pour chauffer la maison. Nous étions alors à l'abri des pannes de courant. Maintenant, sans électricité, plus rien ne fonctionne.

Il n'a pas tout à fait tort, le poêle, tout comme l'horloge grand-père. Par contre, je ne remplacerais pas ma planche à roulettes par une planche à laver, même si je ne sais toujours pas ce que c'est.

— Moi, chuchote un minuscule bout de chandelle, je pense que je vais devoir bientôt vous quitter. Il ne me reste que quelques larmes de lumière à brûler.

J'examine un à un mes mystérieux interlocuteurs, qui paraissent reconnaissants que je les écoute. Tous semblent me sourire. Jamais je n'aurais imaginé qu'eux aussi pouvaient avoir leur vie, leurs idées.

La fenêtre, de biais, ajoute :

— Tu m'as l'air songeur quand tu me fixes ainsi.

Je réalise alors qu'on ne voit jamais vraiment la fenêtre. On regarde autre chose, par la fenêtre.

— Je te remarque pour la première fois, dis-je.

— Tu viens de comprendre ce que je vis depuis toujours, soupire-t-elle. Mon seul rôle est d'apporter la clarté qui allume ce magnifique décor.

— Ce qui vous permet de m'admirer, me contempler, commente une toile au mur, d'un ton hautain. Le malheur, c'est que bien peu savent apprécier les œuvres d'art à leur juste valeur.

Ah oui ? Je la décroche et la place tête en bas.

— Es-tu contente, là ? De toute manière, je n'ai jamais su ce que tu représentais.

— Pas étonnant, s'indigne la toile, j'ai toujours été accrochée à l'envers !

La chaise berçante, qui m'aide souvent à réfléchir, me glisse à l'oreille :

— Lorsque tu étais petit, nous dansions parfois ensemble, au son de la musique. Quand elle accélérait, il nous arrivait même de sortir de la pièce. Le soir, j'étais la seule à pouvoir

t'endormir, avec ta mère qui te chantait de jolies chansons. Elle était très gentille, ta maman, tu te rappelles ?

Oui, j'y pense souvent et je m'ennuie. Peut-être qu'elle s'ennuie aussi et qu'elle essaie de me parler à travers les objets... Non. Elle ne m'aurait pas fait le coup des toilettes, quand même !

De l'atelier me parvient la voix de mon père :

— Alex, tu veux bien faire repartir la machine à laver ? Je crois que le disjoncteur vient de sauter. C'est souvent ce qui arrive quand on branche trop d'appareils en même temps. Le système électrique proteste et nous le dit à sa manière.

Si mon père a enfin entendu, il n'aura pas le choix d'avouer que je n'ai pas la berlue. Enfin,

on est sur la bonne voix… euh,
la bonne voie.

6

Le piano ensorcelé

J'allais encore oublier mon cours de piano. Je dois me dépêcher pour ne pas être en retard, si je ne veux pas me faire gronder. Mon prof de musique est très tolérant, sauf en ce qui concerne la ponctualité. Il exige que je sois à l'heure, sinon je passe mon tour. Je m'habille en vitesse.

— Brrrrr, il fait vraiment froid! grelottent les bottes lorsque je mets le pied dehors.

— Au moins dix mille degrés sous zéro, frémit mon manteau.

Je sonne à la porte de mon professeur, à deux coins de rue de chez moi.

— Salut, Alexandre. Tu as bien travaillé, cette semaine?

— J'ai eu un peu de difficulté avec certains passages. Je ne suis pas très avancé, non. J'ai dû recommencer souvent.

En réalité, j'ai manqué de temps, je ne sais pas pourquoi. À peine si j'ai regardé le clavier. Je me demande parfois si je ne devrais pas changer d'instrument. Même si je joue du piano depuis trois ans, on ne peut pas dire que je suis passionné. Il me semble qu'avec une guitare, ce serait mieux. Une guitare électrique, bien entendu, avec laquelle je pourrais faire partie d'un groupe rock. Sarah m'a dit que presque toutes les filles adorent les musiciens rock. Ce serait peut-être plus facile pour me trouver une copine. Je sais que c'est difficile à croire, mais à neuf ans, je n'ai encore jamais eu de petite amie. C'est la vérité, je vous assure!

— Je t'ai déniché une nouvelle pièce, m'annonce monsieur Melanson en déposant une partition devant moi.

Je la regarde et aussitôt, en plus de voir les notes, je les entends. Il semble toutefois que je sois le seul, comme d'habitude. Quand je pose les doigts sur les touches, les sons se forment d'eux-mêmes. Toutes les notes se placent au bon endroit, selon le rythme approprié.

— Incroyable, Alexandre! Tu as vraiment beaucoup progressé en lecture à vue.

La lecture à vue, c'est lorsqu'on joue une pièce pour la première fois, sans s'être exercé.

— Je te félicite, poursuit monsieur Melanson, tu as dû y mettre pas mal de temps. J'aimerais bien que tous mes élèves travaillent aussi fort. Sais-tu qu'il y en a qui n'effleurent même pas le clavier de toute la semaine?

Pour tenter une explication, je lance:

— Je pense l'avoir déjà entendu, ce morceau-là. J'ai même l'impression de l'avoir déjà joué, est-ce possible?

— Ce serait un peu étonnant, c'est moi qui l'ai composé, hier.

Je n'en suis pas sûr, mais je crois que le piano vient de faire scintiller une de ses touches, qui chatouille une note brillante et cristalline.

7

DES ESPRITS CHATOUILLEUX

À l'école, le lendemain, je pensais que les choses allaient reprendre leur cours normal, mais non ! Comme pour la musique, j'entends les mots lorsque je les lis. Au moins, je vais pouvoir en profiter. Puisque je n'ai pas beaucoup étudié pour l'examen d'anglais, je demande à mon dictionnaire :

— Psst, pourrais-tu me souffler quelques réponses ?

— *Sorry, I don't speak french*[1], baragouine-t-il.

Après le test, on doit produire un texte, dans le cours de français. La consigne : « Décris un événement insolite que tu as déjà vécu. Il faut que ce soit réaliste et original. »

Pas facile, car en général, ce qui arrive pour vrai n'est pas trop insolite. Je choisis cependant assez vite mon sujet. Je n'ai qu'à raconter en détail l'aventure que je vis depuis le week-end. Assez difficile de trouver plus original qu'un litre de lait qui meugle ! Je

1. Désolé, je ne parle pas français.

suis certain que mon enseignant va me prendre au sérieux, lui. Il devrait même pouvoir m'aider à résoudre ce mystère. Je rédige donc mon texte, avec toute l'application dont je suis capable.

Au début de l'après-midi, le prof me remet mon résultat : 96 %. Il n'émet pas le moindre commentaire et m'annonce que j'ai rendez-vous avec la psychologue de l'école. Tout de suite.

Dans le bureau de la psy, j'explique :

— Dimanche, le réveille-matin s'est mis à parler, suivi de mon oreiller et de mes vêtements. Ensuite, le frigo, la nourriture, le marteau et la voiture ont à leur tour...

— Très intéressant, Alexandre, m'interrompt-elle. Continue.

— Vous allez croire que j'exagère, mais c'est la stricte vérité. Autour de moi, tout semble prendre vie.

Elle jette un coup d'œil autour. Rien ne bouge.

— Est-ce que vous l'entendez, madame, votre calepin ? Il dit que vous le chatouillez. Et je ne vous ai pas encore raconté pour le piano, les livres ou la toilette !

Elle me fixe une rencontre pour la semaine prochaine, la suivante et l'autre d'après. La dame parle aussi d'un médicament qui dans certains cas peut s'avérer très efficace, d'un pédopsychiatre et puis d'une thérapie. Par chance, la cloche sonne et je peux me sauver.

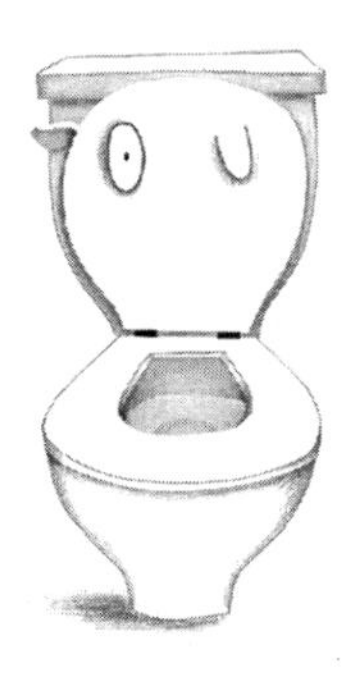

8

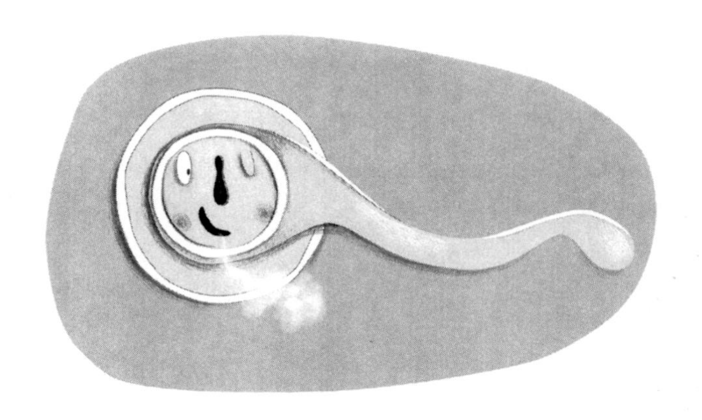

Une poignée d'amour

Je cours jusque chez moi dans le froid glacial. Devant ma porte, la poignée me fait un clin d'œil.

— Approche, tu veux goûter ?

Je l'entends qui insiste :

— Juste un coup, personne ne te verra ! Un petit bécot de rien du tout, allez.

Gabrielle m'a raconté qu'elle s'est déjà collé la langue sur une clôture gelée, à moins vingt degrés. Elle a dit qu'il lui a fallu attendre que sa langue décolle toute seule, sans bouger. Si elle ne décolle pas, on doit mettre de l'eau froide. Il ne faut surtout pas tirer, sinon la peau arrache.

Je ne sais pas pourquoi, j'ai souvent eu envie d'essayer. Je ne peux pas m'en empêcher, c'est plus fort que moi ! Il faut que je vérifie.

Le goût est bizarre, métallique.

Je suis là depuis au moins dix minutes. Ou vingt. Ou seulement trois ? Vous essaierez de regarder votre montre avec la langue collée sur une poignée de porte ! De plus, je suis plié en deux. Je commence à avoir mal au dos. Je vais me mettre à genoux.

Ouf !

En fait, je ne suis pas vraiment à genoux, plutôt sur la pointe des genoux. Je n'ai pas pu me rendre jusqu'au sol parce que, voyez-vous, j'ai la langue collée sur la poignée de porte.

Pourquoi elle m'a raconté cette histoire, Gabrielle Turgeon ? Ce n'était peut-être même pas vrai ! Et puis, où est-ce qu'elle l'a trouvée, son eau froide ?

Mes cuisses tremblent. Elles ne pourront pas tenir très longtemps. Je crois que je vais avoir une crampe. Voilà, j'ai une crampe ! Je dois me relever.

Impossible, je ne peux plus remuer. Le froid transperce mes mains, mes pieds... Ma langue, n'en parlons pas ! Qu'est-ce que je fais ? Je ne peux tout de même pas passer le reste de ma vie à embrasser une porte !

— Je trouve que tu n'y mets pas beaucoup d'ardeur, bougonne la poignée. Il manque de chaleur, ce baiser, de passion, de ferveur, d'urgence!

J'aurais dû y penser plus tôt: la sonnette. Mon père va venir ouvrir et mettre de l'eau. Même en m'étirant, je suis incapable de l'atteindre. J'aurais besoin d'un cou de girafe, un cou de girafe élastique, même. Encore un effort, enfin!

Ding! Dong!

Qu'est-ce qu'il fabrique? J'essaie de nouveau.

Ding! Dong!

J'entends des pas, il arrive.

À la dernière seconde, j'y pense! Pour ouvrir la porte, il va tirer et moi, j'ai la langue...

— Oui ? fait papa.

— Aaaaaaaaahhhhhhhh ! Aïïïïïïïe !

— Alexandre, qu'est-ce que tu fous là ?

— Aooooutche ! Tu n'aurais pas pu faire attention ?

— De quoi parles-tu ?

— J'avais la langue collée sur la poignée. Ouiiiiillllllle !

— Je devais deviner ? Pourquoi n'as-tu pas utilisé tes mains, comme tout le monde ? La plupart des gens trouvent que c'est beaucoup plus facile pour ouvrir une porte. Si tu voulais expérimenter une autre méthode, libre à toi, mais ce n'est pas ma faute.

Je me sens déjà assez humilié, inutile d'en remettre !

— Tu saignes, Alex. Viens, on va mettre de la glace.

— Noooooooon !

9

AVEZ-VOUS DONC UNE ÂME ?

Cette nuit, j'ai dormi d'un sommeil profond, à la fois lourd et léger, rempli de rien. À mon réveil, que le silence. Jamais je n'aurais cru autant l'apprécier. Tout ce qui me dérange, c'est le bout de ma langue. Sensible, vous dites ? J'ai l'impression d'avoir des couteaux à la place des dents !

Sur ma table de chevet trône un livre écrit par monsieur Alphonse de Lamartine. Dans mes mains, il devient tout chaud. Le livre, pas monsieur Lamartine ! C'est ma mère qui lisait ce recueil de poèmes, à la toute fin de sa vie. Moi, je l'ai juste transporté de sa table de chevet à la mienne, sans même déplacer le signet.

Je l'ouvre pour tomber sur le vers suivant :

« Objets inanimés, avez-vous donc une âme ? »

Et si c'était le cas ?

Plein d'idées me viennent en tête.

Je m'installe à mon bureau pour noter ce qui se passe ici. La plume dont se servait toujours maman, avant de partir, me lance un sourire discret. Pas une plume d'oiseau, une plume qui sert à écrire, avec une pointe et de l'encre. Je l'utilise souvent quand je m'ennuie de ma mère. Doucement, je la décapuchonne.

Dès que je la pose sur le papier, elle se met à courir, à peine si j'ai le temps de voir les mots se former. À bout de souffle, la plume s'arrête au beau milieu d'une phrase, la langue sèche, l'estomac vide. Je sors l'encrier pour la remplir. Je la sens frémir d'impatience. Elle veut à tout prix continuer. Moi, je ne fais que la guider. Pendant de très longues minutes, elle raconte ce que vous venez tout juste de lire.

Épuisé, je la laisse tomber et je vais respirer un peu d'air frais, à l'extérieur. En bas de la rue, la rivière file à toute allure. Elle ne gèle jamais, cette rivière, même durant les plus grands froids.

Je m'assois sur une pierre et le vent murmure:

— Si tu veux entendre, prends le temps d'écouter. Ce qui se passe dans ta vie depuis deux jours doit t'apprendre quelque chose. Nous avons voulu te parler pour te prouver que tout est possible. Tu veux devenir karatéka, vedette rock ou patineur artistique? Alors, fonce! Même tes rêves les plus fous, tu peux essayer de les réaliser. Tu ne réussiras peut-être pas, mais au moins tu auras tenté ta chance et tu auras eu du plaisir. En passant, si tu arrêtais de toujours te rabaisser, ce serait vraiment plus facile. Tu pourrais aussi travailler davantage, par exemple en anglais et au piano. Tu as tout pour réussir, mais parfois il faut te forcer un peu plus. N'oublie pas : rien n'est impossible. Après tout, qui aurait cru qu'un marteau ou une chaussette pouvaient parler ?

Je me rends compte que le vent a tout à fait raison. C'est fou comme tout est plus clair, à présent. Je vais m'inscrire aux cours de guitare cette année et je ferai du patinage l'an prochain. Pour ce qui est du karaté, j'ai déjà mon professeur, et privé en plus !

TABLE DES MATIÈRES

Pierre Roy

Puisque bien peu de gens l'ont remarqué, je te signale que je n'ai pas utilisé le mot « ça » depuis mon treizième livre, et tu es présentement en train de lire le vingt-cinquième. Je ne sais pas pourquoi, je crois que j'ai développé une sorte d'allergie à ce mot dit trop souvent. D'ailleurs, ce livre-ci non plus ne le contient pas. Enfin, j'espère, à toi de vérifier.

Si tu le trouves une seule fois (mis à part celui qu'on voit sur cette page), alors ce sera bien mystérieux et nous te promettons une généreuse récompense. Mais on ne sait jamais, car avec cette histoire, il se produit toujours ce à quoi on s'attend le moins.

Allez, bonne lecture et surtout, n'aie pas peur des mots, même les plus fous !